jôcs noson lawen

Jôcs

NOSON LAWEN

y Lolfa

S4C

Argraffiad cyntaf: 2003
ⓗ Hawlfraint: Y Lolfa Cyf., 2003

Cynllun Clawr: Ceri Jones
Llun y Clawr: Gerallt Llywelyn

Diolch i Tegwyn Roberts, Gerallt Llywelyn, Tonfedd Eryri
ac S4C am y ffotograffau

Cyhoeddwyd dan drwydded i S4C
Cynhyrchir y cyfresi *Noson Lawen* gan Tonfedd Eryri Cyf. i S4C

Gwaith ymchwil: Trystan Jones, Lefi Gruffudd a Dafydd Saer
Cartwnau: Dafydd Saer ac Alan Thomas

ISBN: 0 86243 681 8

Cyhoeddwyd ac argraffwyd yng Nghymru gan:
Y Lolfa Cyf., Talybont, Ceredigion SY24 5AP
e-bost ylolfa@ylolfa.com
gwefan www.ylolfa.com
ffôn +44 (0)1970 832 304
ffacs 832 782

Rhagair

Drioch chi esbonio i Sais beth yw Noson Lawen erioed? Prin fod 'Merry Night' neu 'Convivial Concert' yn cyfleu'r hwyl, canu, actio a chwerthin sydd mor ganolog i'n diwylliant, ac sydd wedi ei fwynhau mewn sguborau, neuaddau a chanolfanau ledled Cymru cyhyd.

A'r hyn sy'n gwneud Noson Lawen werth ei halen yw hiwmor yr arweinwyr – arweinwyr sy'n deall a nabod eu pobl, sy'n gallu dweud jôc dda, ac sy'n gwybod am arferion cysgu, gyrru, yfed a charu eu cynulleidfaoedd.

Dyma, gredwn i, pam mai'r Noson Lawen yw un o gyfresi mwyaf poblogaidd S4C erioed ers i'r gyfres gyntaf gael ei darlledu adeg sefydlu'r sianel yn 1982. A gellir diolch i arweinwyr gwych fel Dai Jones, Ifan Gruffydd, Glan Davies a Dilwyn Pierce, sydd wedi bod mor gyson o ffraeth yn meddiannu eu cynulleidfaoedd, gyda'u dogn o hiwmor Cymreig. Ond diolch i draddodiad y Noson Lawen y cafodd yr arweinwyr gyfle i feithrin eu talent yn y lle cyntaf, i ddatblygu fel rhai o sêr enwocaf y teledu yng Nghymru heddiw. Hoffai'r Lolfa ddiolch yn fawr i'r diddanwyr i gyd am eu cyfraniad dros y degawdau ac am eu cydweithrediad wrth gyhoeddi'r gyfrol hon.

Mwynhewch flas hiwmor Cymreig o bob rhan o'r wlad, sydd wedi eu casglu o sawl cyfres o *Noson Lawen* dros yr ugain mlynedd diwethaf. Mi ddysgwch lawer am fywyd – o sut mae ffermwyr y Bala yn rhoi'r gole ymlaen ar ôl caru, i bwrpas bra Dewi Sant, a rhyfeddod bois Tregaron ar draeth i noethlymunwyr...

Lefi Gruffudd

Alun James

Hen fenyw yn trio cysgu un noson. Sŵn yn ei dihuno hi trwy'r amser. Yn ypset, mae'n mynd at y ffenest i weld beth sy'n neud y sŵn. Edrych mas trwy'r ffenest, ac mae'n gweld ci a gast yn caru tu allan i'r drws ffrynt. Mae hi mor ypset, dyma hi'n mynd ati i ffono'r fet gyda'i ffôn symudol wrth ochr y gwely. Y fet yn ateb y ffôn, a Mrs Jones yn gweud,

"Dewch mas gloi! Ma ci a gast tu fas i ddrws y ffrynt yn caru a neud lot o sŵn. Dewch mas i'w stopo nhw."

"Mrs Jones fach, nagych chi wedi sylwi ar yr amser?" medde'r fet. "Mae'n hanner awr wedi dau yn y bore. Mae'n rhy hwyr i fi ddod mas nawr."

"O… Wel, gwedwch wrtha i, be alla i neud i stopo nhw?" medde Mrs Jones.

"Wel, gwedwch wrthyn nhw bod rhywun isie nhw ar y ffôn," medde'r fet.

"Ody hwnna'n mynd i stopo nhw garu a neud sŵn?"

"Wel, fe stopodd e fi, ta beth!"

★ ★ ★

John yn ffonio'r doctor yn hwyr un noson. "Dewch allan gloi! Ma'r wraig â phoenau yn ei hochr. Rwy'n credu mai'i hapendics yw e."

"Rho ddropyn o frandi iddi, John, a bydd popeth yn iawn."

"Ond beth am yr apendics?"

Chwarae teg i'r doctor, roedd cof da ganddo. "Wel, os wyt ti'n cofio, tua blwyddyn a hanner yn ôl, fe dynnais i apendics dy wraig mas amser 'nny. Mae'n amhosib tynnu apendics mas ddwywaith."

"Chi heb glywed am 'yn ail wraig, 'te!"

★ ★ ★

Wil, Jac a Dai yn y dafarn un nos, a dyma Wil yn dweud, "Fi'n siŵr bo' 'ngwraig yn cael affêr 'da thrydanwr. Pan es i i'r stafell wely ddoe, roedd llond bocs o wifrau a ffiwsis wrth ochor y gwely."

Wedyn mae Jac yn troi rownd a dweud, "Dwi hefyd yn siŵr bo' 'ngwraig i'n cael affêr 'da phlymiwr. Pan es i'r gwely neithiwr, roedd llond bocs o daps a phibennau dŵr 'na."

Yn olaf, dyma Dai yn dweud, "Wel, rwy'n

bendant bo' 'ngwraig i yn cael affêr 'da cheffyl."

"Ceffyl?" meddai'r ddau arall yn syn. "Mae 'na'n amhosib!"

"Na, na – rwy'n dweud wrthoch chi, achos pan es i i'r gwely neithiwr, ffindies i joci dan y gwely!"

★ ★ ★

Boi yn dod adre un dydd o'r coleg gyda'i gariad newydd, Susan – merch hynod o ddel – i'w chyflwyno i'w fam a'i dad. Mae nhw'n bwyta bwyd, ac mae'r crwt yn dweud wrth ei rieni eu bod yn meddwl priodi. Gyda hyn mae ei dad yn mynd â'r crwt i'r gornel a dweud, "Rwy'n flin iawn, Dewi, ond alli di ddim priodi Susan. Mae'n hanner chwaer i ti." Wel, mae'r crwt yn siomedig, a mae'r berthynas yn gorffen yn y fan a'r lle.

Chwech mis yn ddiweddarach, mae Dewi yn dod gatre gyda chariad newydd, Lisa, eto yn ferch hynod o ddel. Unwaith eto, wrth fwyta bwyd, mae'r ddau yn dweud eu bod yn meddwl priodi, ac unwaith eto mae'r tad yn mynd â'r crwt i gornel y stafell a dweud, "Rwy'n flin iawn, Dewi, ond fedri di ddim

priodi Lisa. Mae'n hanner chwaer i ti. Rwy'n
caru dy fam, ond fel ti'n gweld, rwy wedi
bod yn anffyddlon yn y gorffennol." Eto mae
Dewi yn cael siom, ac unwaith eto mae'r
berthynas yn dod i ben yn y fan a'r lle.

Dros y flwyddyn nesaf mae hyn yn
digwydd ddwywaith yn rhagor. Erbyn hyn
mae Dewi wedi siomi gymaint, mae'n mynd
at ei fam. "O, Mam. Sa i'n credu wna i fyth
briodi. Bob tro rwy'n whilo merch ac yn
cwympo mewn cariad, mae Dad yn dweud ei
bod yn hanner chwaer i fi."

"O, paid gwrando arno. Nid fe yw dy
dad!"

★ ★ ★

Mae hen fenyw yn ei 70au yn ypset iawn –
newydd glywed fod ei gŵr yn cwrso
menywod eraill. Felly mae'n mynd at
gynghorydd priodas ac yn dweud ei phroblem
wrtho.

"O, peidiwch poeni, dyw hwnna'n ddim i
fecso amdano," medde'r cynghorydd.

"Ond sut allwch chi weud 'nna?"
gofynnodd yr hen fenyw.

"Wel, edrychwch arno fe fel hyn. Mae gen

i gorgi bach sy'n cwrso motobeics, ond dyw e ddim yn gallu reido dim un ohonyn nhw!"

★ ★ ★

Dawns Clwb Ffermwyr Ifanc, ac mae Sion yn cwrdd â rhyw fenyw bert wrth y bar.

"Hoffet ti ddawns?" dyma Sion yn gofyn iddi. Felly mae'r ddau yn mynd i ddawnsio. Cyn diwedd y gân gyntaf, mae Sion yn gofyn i'r fenyw, "Beth yw dy waith di, 'te? Typist?"

"Wel, wel! Ti'n iawn," meddai hi. "Shwt ti'n gwbod 'nna?"

"O, o'n i'n gallu teimlo dy fysedd tyner di'n rhedeg i lawr fy nghefn."

Dyma'r ddau yn mynd i eistedd a chael cwpwl o ddrincs. Cyn hir mae'r ddau yn mynd i ddawnsio eto, a tro hyn mae'r fenyw yn gofyn i Sion, "Beth yw dy waith di? Mecanic?"

"Wel, ie − shwt o't ti'n gwbod?"

"Dwi'n gallu teimlo'r jac dan fy mola!"

★ ★ ★

O'n i'n nabod y ffarmwr 'ma – dyn ffein a chymwynasgar, ond damed bach yn dynn am y geiniog. Ac un dydd mi welodd hysbyseb yn y papur gyda'r pennawd 'Injan ar Werth'. Ac mi benderfynodd anfon llythyr – y ffordd rata – i weld pa lwc gai e. A dyma beth sgwennodd e yn y llythyr: "Anfonwch yr injan, ac os yw e o unrhyw werth, mi anfona i siec."

Ddeuddydd yn ddiweddarach mi gafodd lythyr nôl yn dweud, "Anfonwch y siec, ac os yw e o unrhyw werth, mi ddanfonwn ni'r injan!"

★ ★ ★

Ro'n i'n nabod rhyw fenyw fach weddw unig, oedd wedi prynu bydji. Ac roedd hi'n meddwl y byd o'i bydji. Roedd hi hefyd yn fenyw howsprowd, ac un diwrnod 'ma hi'n meddwl bod angen carped newydd yn y stafell flaen, a dyma hi'n gofyn i Dai drws nesa, oedd mor barod ei gymwynas chwarae teg, a alle fe roi'r carped lawr iddi.

A medde Dai, chwarae teg iddo fe, "Iawn, 'na i roi'r carped lawr, ond i chi gael y carped yn barod." Dyma Dai yn mynd yn ei flaen i roi'r carped lawr, a chwarae teg, mi wnath jobyn da ohoni – digon taclus yn wir.

Ar ôl gorffen dyma fe'n penderfynu mynd am smôc – ond unwaith gyrhaeddodd e tu fas, mi sylweddolodd e 'i fod wedi colli ei sigaréts. Aeth e nôl i'r stafell flaen i chwilio a teimlo rhyw lwmp yn y carped. Wel, 'na ddiwedd ar y sigaréts, meddyliodd Dai. Doedd y carped ddim cweit yn lefel achos y lwmp, a damo, doedd e ddim am drafferthu ailgodi'r carped, felly dyma Dai'n mynd i nôl morthwyl o'r fan a chnoco'r lwmp yn lefel neis.

Gyda hynny, dyma'r wraig yn dod fewn i'r stafell flaen a dweud, "Mae'ch pecyn sigaréts chi ar ford y gegin, ond dwi wedi colli'r bydji!"

★ ★ ★

Mae'n dipyn o job cael gwaith y dyddie hyn, ac o'n i'n nabod y crwt 'ma, Wil, oedd yn ffili cael gwaith – oedd e tam' bach yn bacward a doedd 'i syms e ddim yn dda iawn. Ond un diwrnod mi ga'th e fynd am fis o dreial mewn siop ironmonger. Un bore daeth cwsmer fewn a holi: "Dwi moyn pedwar pwys o hoelion chwe modfedd."

Ond atebodd Wil, "Wel, mae'n ddrwg 'da fi ond does dim hoelion chwe modfedd 'da ni." O glywed hyn, dyma'r cwsmer yn cerdded mas heb brynu dim byd.

Wedodd y bos wrth Wil: "Mae'n rhaid i ti neud yn well na 'na neu fydd yn rhaid i fi roi'r sac i ti – allet ti fod wedi dweud wrth y cwsmer bod 'da ni hoelion pedair a phum modfedd."

"Ocê," medde Wil, "fe dria i neud yn well tro nesa."

Pwy ddaeth fewn wedyn ond menyw – swancen ryfedda, rial shibolden, yn bowdwr a cholur drosti, gydag ogle *Chanel* yn gryf arni. Dyma hi'n holi Wil, "Ga i doilet rôl lliw tangerine, os gwelwch yn dda?"

"Sdim toilet rôl 'da ni," medde Wil, "ond ma 'da ni ddigon o sand paper!"

Ifan Davies

Wythnos cyn hanner tymor, mae Mrs
Williams yn gofyn i'r disgyblion i gyd i
sgrifennu traethawd ar y testun 'Ci'. Ar ôl
hanner tymor mae'n derbyn y traethodau,
ond yn sylwi bod traethawd Albert, 'Fy Nghi
i', yn union yr un peth, air–am–air, â'r un a
dderbyniodd gan ei chwaer dair mlynedd
ynghynt.

"Albert," meddai. "Ga i dy weld yn fy
swyddfa, plîs?"

Yn y swyddfa mae Mrs Williams yn
dweud, "Albert, alli di esbonio i fi pam mae
dy draethawd di air–am–air yr un peth â
thraethawd dy chwaer dair mlynedd yn ôl?"

"Miss, yr un ci yw e!"

★ ★ ★

Roedd fy ffrindie wedi trefnu blind date i fi,
flynydde'n ôl. Cefais y cyfeiriad ac es i'r tŷ a
chnocio ar y drws ffrynt. Disgwyliais i'r ferch

ateb y drws, ond ei thad atebodd gan ddweud yn uchel, "Pwy wyt ti, a beth wyt ti moyn?"

"Wel, syr," dywedais yn dawel, "rwy yma i fynd â'ch merch allan ar blind date."

"Edrych 'ma, 'te. Gan ein bod yn deall ein gilydd, mae'n rhaid iddi fod nôl yn y tŷ erbyn deg o'r gloch fan bella."

Wel, y funud honno, welais i'r ferch yn cerdded lawr y stâr.

"Peidiwch poeni," atebais. "Bydd hi nôl erbyn wyth!"

Dilwyn Pierce

Dyn a dynes 80 mlwydd oed newydd briodi. Ond mae gen y gŵr newydd 'broblemau' yn y gwely. Felly maen nhw'n mynd at y doctor i drafod ei broblem.

"Wel, mi alla i roi Viagra i chi, ond rhaid bod yn ofalus. Mae Viagra yn gryf iawn ac yn gallu lladd, felly mae rhaid ei ddefnyddio'n gywir. Y peth i wneud ydi cymryd un bilsen,

sgipio dau ddiwrnod, pilsen arall, sgipio dau ddiwrnod, ac yn y blaen."

Bythefnos wedyn, mae'r doctor yn gweld y wraig. "Sut mae'ch gŵr?"

"Wedi marw," atebodd y wraig.

"O, na! Nid y Viagra laddodd o?"

"Naci − y sgipio!"

★ ★ ★

Mae dewis pryd o fwyd yn debyg i ddewis gwraig. 'Dach chi'n dewis be 'dach chi'n licio, ond 'dach chi'n ffansïo be ma'ch mêt chi wedi gael!

★ ★ ★

O'n i'n cerddad ar hyd y stryd, ac mi welais i arwydd mawr ar ddrws yn deud 'topless restaurant'. Wel, o'dd rhaid mynd mewn, ond dyma siom ges i − restaurant heb do!

★ ★ ★

Twm mewn tŷ bwyta, ac yn archebu cawl, stêc a crymbl efo cwstard. Ond dyna be oedd mochyn o waiter. Daeth y cawl gyda bawd y waiter ynddo. Penderfynodd Twm ddeud dim, a bwyta'r cawl. Nesa daeth y stêc, a tro yma roedd bawd y waiter o dano. Eto, penderfynodd Twm ddeud dim byd, a bytodd y stêc. Yn olaf, daeth y waiter allan efo'r crymbl, a tro yma roedd ei fawd reit ynghanol y cwstard. Erbyn hyn, roedd Twm wedi gwylltio.

"Be sy'n bod arnat ti, y mochyn? Mae dy fawd wedi bod yn fy mwyd i drwy'r nos!"

"Deudodd y doctor bod gen i arthritis yn fy mawd, a dwi fod ei gadw fo'n gynnes."

Roedd Twm yn flin iawn erbyn hyn. "Wel, pam na wnei di stwffio'r bawd i fyny dy drwyn i'w gadw'n gynnes?"

"O, pan dwi yn y gegin – dwi *yn* gwneud!"

★ ★ ★

Bob nos yn y cartre hen bobl, ma'r hen ddynion i gyd yn cymryd pilsen Viagra cyn mynd i gysgu, i'w stopio rhag rowlio allan o'r gwely yng nghanol y nos!

★ ★ ★

"Mi ges i hunllef neithwr," meddai Alan wrth Sion.

"Am be?"

"Wel, roedd tair merch yn paffio amdana i — Amanda Protheroe Thomas, Catherine Zeta Jones, a fy ngwraig!"

"Nid hunllef oedd hwnna," meddai Sion. "Dyna beth ydi breuddwyd ffanatastig."

"Naci, hunllef! Y wraig enillodd!"

★ ★ ★

Lleian a Mwslim yn pasio'i gilydd ar y stryd. Mae'r lleian yn stopio a gofyn i'r Mwslim,

"Hei, mae'ch crefydd chi yn eich stopio chi fwyta porc, tydi?"

"Ydy," medd y Mwslim.

"Ydach chi wedi bwyta porc erioed?"

"Wel," medd y Mwslim yn dawel, gan edrych o'i gwmpas, "a deud y gwir, do, unwaith — gesh i frechdan bacwn."

"A be oeddach chi'n feddwl?"

"W! Lyfli," atebodd y Mwslim. "Mae'ch crefydd chi yn stopio chi gael dynion, tydi?"

"Ydy."

"Be, 'dach chi erioed wedi bod efo dyn o'r blaen?"

"Wel," meddai'r lleian yn dawel, "do –
unwaith."

"A sut oedd hynny?"

"Wel, gwell na brechdan bacwn, eniwê!"

'Dach chi'n cofio canlyn ers talwm? Dwi'n cofio canlyn hogan o Trallwng. Un noson dyma ni'n cwtsho a swshio a ballu, a dyna ni — stop.

Ar ôl sbel, medde'r hogan, "Dilwyn, 'da ni'n canlyn ers talwm 'wan, ac o'n i'n meddwl, ella y bysan ni'n gallu mynd 'chydig yn bellach."

"Iawn," medde fi, ac off â ni i Drenewydd!

Glyn Owens

Gŵr a gwraig yn paratoi i fynd i barti gwisg ffansi, a'r ddau yn gwisgo masgs i guddio eu hwynebau fel rhan o'r wisg. Cyn mynd, mae'r wraig yn cael cur yn ei phen, a does dim awydd arni fynd i'r parti.

"Dos ar ben dy hun," meddai hi wrth ei gŵr.

"O, dwi ddim isio mynd hebddot ti," atebodd y gŵr.

"Paid bod mor wirion! Dos."

Felly, dyma'r gŵr yn gneud ei ffordd i'r parti yn ei wisg ffansi, a'r wraig yn cymryd asprin a mynd i'r gwely. Ymhen rhyw awr mae'n deffro yn teimlo'n llawer gwell, ac yn penderfynu mynd i'r parti.

Wrth fynd mewn i'r parti mae'n gweld masg y gŵr, ac yn mynd ato a gofyn, "Fysa chi'n licio dawnsio?"

"Iawn."

Mae'r ddau yn dawnsio am ychydig cyn i'r wraig ofyn, "Fysach chi'n licio dŵad allan am... wel, 'dach chi'n gwbod?"

"Gret!"

Hwyrach ymlaen yn y nos, mae'r wraig yn mynd adre i'r gwely ac aros yn effro i'w gŵr ddod yn ôl. Wedi iddo gyrraedd, dyma hi'n gofyn, "Nest ti fwynhau dy hun heno?"

"Na, ddim mewn gwirionedd."

"O… Wel, fuest ti'n dawnsio?"

"Na. A dweud y gwir, gyrhaeddais i'r parti a chyfarfod fy ffrindia, felly aethon ni fyny grisia i chwara cardia. Eitha diflas… Ond mi gafodd y boi na'th fenthyg fy masg i amser ffantastig, yn ôl pob sôn!"

★ ★ ★

Athro: "Pwy sy gallu dweud wrtha i pa un 'di'r agosaf – America neu'r lleuad?

Meirion: Syr, Syr! Wn i! Y lleuad.

Athro: A pam 'dach chi'n meddwl hyn, Meirion bach?

Meirion: Achos o tŷ ni, dwi'n medru gweld y lleuad, ond ddim America!

Nigel Owens

Thomas John ar wylie yn Sbaen, ac mae'n eistedd mewn tŷ bwyta. Wrth gwrs, gan nad yw e'n siarad gair o Sbaeneg, dydi e ddim yn deall y fwydlen. Fel mae'n digwydd, mae'r waiter yn dod â bwyd mas i'r bwrdd drws nesa iddo – dwy belen fawr o gig ar y plât. Felly i wneud pethau'n haws iddo'i hun, dyma Thomas John yn galw'r waiter draw a gofyn am yr un peth â'r bwrdd drws nesaf.

"Sori, senor, ond delicasi yw hwnna, a dim ond unwaith y dydd mae'n bosib ei gael."

"Jiw, jiw, oes rheswm am hyn, 'te?"

"Wel, bob bore yn y pentre, mae *bull fight* i gael. Wedi i'r tarw gael ei ladd, mae nhw'n dod â'r cig i'r tŷ bwyta yma. Mae peli'r tarw yn ddelicasi mawr yn yr ardal yma."

"Oes modd i fi gael eu trïo nhw fory?"

"Dewch yn ddigon cynnar, a drïa i fy ngore, ond dwi'n addo dim byd," medde'r Sbaenwr.

Felly, y diwrnod wedyn, mae Thomas John yn mynd i'r tŷ bwyta yn gynnar, a ma'r waiter yn dod â plat mas iddo â phar o beli arno.

"Dyna chi, senor," meddai'r waiter. "Joiwch."

Mae Thomas yn dechre bwyta'r cig, ac mae'n flasus iawn. Ond mae rhywbeth yn ei boeni.

"Esgusodwch fi," mae'n galw'r waiter yn ôl. "Mae'r delicasi 'ma'n flasus iawn. Dwi ddim yn cwyno, ond dyw'r par yma ddim cymaint o seis â phar ddoe."

"A, senor – ambell waith mae'r tarw'n ennill!"

Boi o Dregaron yn magu cŵn. Ac mae un ci sbesial 'da fe sy'n gallu gwynto unrhyw beth o dair milltir i ffwrdd. Felly mae'n mynd â'r ci at customs department y maes awyr a dweud, "Mae'r ci 'ma yn sbesial, a wertha i fe i chi am £2,000."

"Wel, os oes rhaid talu cymaint â 'na, fi eisie ei weld e wrth ei waith."

Felly mae'r boi yn gadael y ci yn rhydd. Mae'n rhedeg rownd am bach, cyn rhoi ei bawen ar gês a chyfarth.

"Be sy'n bod ag e?"

"Wna i garantïo i chi bod y cês 'na'n llawn sigaréts diwti-ffrî."

Mae dyn y customs yn agor y cês, a dyna be sy yna – sigaréts diwti-ffrî'r farchnad ddu.

"O, ond fi eisie gweld mwy," medde'r dyn customs.

Mae'r ci unwaith eto yn rhedeg rownd cyn rhoi dwy bawen ar gês a cyfarth.

"Be sy nawr?" medde dyn y customs.

"Wna i garantïo i chi bod cyffurie yn y cês 'na."

Mae'r dyn unwaith eto yn agor y cês – llond cyffurie.

"Gwych. Wna i ôl y siec bwc."

Ond gyda hyn, dyma'r ci yn rhedeg rownd

unwaith eto, rhoi dwy bawen ar gês, cyfarth fel y diawl, a neud ei fusnes ar y llawr cyn rhedeg mas trwy ddrws y maes awyr.

"Beth mae e'n neud? 'Drych ar y mes! £2,000 am y mwngrel 'na? Bydd rhaid i fi ffono'r glanhawyr i ddod lawr nawr!"

"Iawn, ffona di pwy ti moyn – ond fi'n mynd! Mae e wedi ffeindio bom!"

★ ★ ★

Tri boi ar eu gwylie yn Blackpool. Wrth gerdded ar hyd y prom, dyma wylan anferth yn cwympo 'llwyth' ar ben Colin, ac mae'n rhedeg lawr ei ffrynt i gyd.

"O, na! A' i nôl papur tŷ bach," medd ei ffrind Dai, wrth droi am y tŷ bach.

"Paid bod yn dwp," medd Harri. "Erbyn i ti ddod nôl, bydd e filltiroedd i ffwrdd!"

★ ★ ★

Dau Sbaenwr yn gweithio yng ngorsaf dân Caerfyrddin, Jose a Jose B.

Un dydd mae galwad ffôn, "Dewch cwic, plîs! Mae'r ffat ar dân! Cwic!"

"Iawn, beth yw rhif y fflat?"

"Nage – ffat! Y badell jips!"

"Iawn, ni ar ein ffordd."

Mewn pum munud mae Jose a Jose B yn cnocio ar y drws.

"Jiw," meddai. "O le chi'n dod?"

"O Sbaen, senorita."

"Chi wedi dod yr holl ffordd o Sbaen i ddiffodd fy nhân? Jiw, dyw bois Caerfyrddin heb gyrraedd 'to!"

★ ★ ★

Trip Merched y Wawr i Gaerdydd i siopa. Ar y ffordd yn ôl, dyma nhw'n penderfynu stopio yn Abertawe a mynd mas i glwb nos. Wrth adael y bws, mae'r gyrrwr yn dweud wrthyn nhw nad yw'r bws yn cloi, felly bydd rhaid mynd â'u bagie siopa gyda nhw.

Dyma nhw'n cerdded mewn i'r clwb nos gyda'u bagie siopa, ac mae act ar y llwyfan – boi Indiaidd yn chwarae ffliwt, a neidr yn codi o fasged. Chwarae'r ffliwt eto, ac mae'r neidr yn diflannu yn ôl i'r fasged. Mae'r boi wedyn yn galw Jên i'r llwyfan. Felly dyma hi'n cerdded lan i'r llwyfan gyda'i bagie siopa. Mae'r ffliwt yn chwarae, a mae bra a bloomers newydd o Dorothy Perkins yn codi o'r bag. Y ffliwt yn chware eto, a'r blwmers yn mynd nôl i'r bag. Mae Jên yn meddwl wrth ei hunan, "Bachan, bydde'r ffliwt 'na'n handi uffernol gatre!"

Felly mae'n gofyn i'r boi Indiaidd os gellith hi brynu'r ffliwt ac mae yntau'n cytuno. Cyrraedd nôl adref, ac mae Jên yn taflu'r bagie siopa i un ochr a rhedeg lan stâr gyda'r ffliwt at John ei gŵr, sy'n y gwely. Mae'n chware'r ffliwt ac mae'r cwilt cyfandirol yn dechre codi yn uwch ac yn uwch. Gan daflu'r ffliwt i'r neilltu, a tynnu'r cwilt i un ochr, mae'n cael sioc uffernol i weld cortyn pyjamas John wedi codi reit lan!

★ ★ ★

Ffarmwr o Lambed yn tyfu llysie yn ei ardd. Un dydd mae'n sylwi bod ei lysiau yn diflannu. Y diwrnod wedyn, mae rhagor wedi diflannu. Felly mae'r ffarmwr yn penderfynu aros ar ddihun drwy'r nos i weld beth sy'n digwydd iddyn nhw. Wrth gwato yn y sied, mae'n clywed sŵn tu fas. Mae'n neidio allan ar ben boi sy'n cario sach o dato'r ffarmwr.

"Ha! Fi wedi dala ti yn dwyn fy nhato i, a fi'n mynd i ddysgu gwers i ti."

"O, na! Plîs paid ffono'r polîs," meddai'r lleidr.

"Wna i ddim y tro hyn. Yn lle 'nny, fe gymra i'r daten fwya o'r sach, a'i stwffio fe lan dy ben ôl."

Dyma'r lleidr yn dechre chwerthin.

"Paid chwerthin. 'Sdim byd yn ddoniol obytu fe," meddai'r ffarmwr.

"Na, ond ma John yn dod tu ôl gyda bag o swêds!"

★ ★ ★

O'n i ar y ffordd i Lanelli pryhawn 'ma, ac wrth groesi pont, welais i foi yn boddi yn yr afon. Wrth stopio'r car, dyma foi arall yn neidio oddi ar y bont, a tynnu'r dyn oedd yn boddi i'r lan. Roedd y boi yn anymwybodol, a felly dyma'r dyn neidiodd i'r afon yn dechre pwyso ei stumog gyda'i ddwylo. Roedd y dyn yn dal i orwedd yn anymwybodol ar lan yr afon, a dŵr yn sgwyrto mas o'i geg wrth i'r dyn arall bwmpo.

Ar ôl tua hanner awr o hyn, dyma fi'n gweiddi ar y boi, "Hei, ti'n gwbod beth ti'n neud?"

"'Drycha di 'ma, gw'boi, fi'n qualified first

aider," medde fe.

"Na, 'drycha di 'ma," gwaeddais yn ôl, "fi'n qualified engineer, ac os na dynni di 'i dîn e o'r dŵr, fe bwmpi di'r afon yn sych!"

★ ★ ★

Joni bach yn barod i briodi merch lawr y stryd. Mae'r ddau yn cerdded gyda'i gilydd a dyma hi'n troi at Joni a gweud, "Joni, cyn priodi wythnos nesa, mae 'da fi rywbeth pwysig i weud 'tho ti."

"O, paid gweud nawr. Gwed ar ôl i ni briodi."

Felly mae'r ddau yn priodi, ac yn mynd ar eu mis mêl. Ar yr awyren ar y ffordd, mae'n troi at Joni a gweud, "Nawr ni wedi priodi, mae rhywbeth pwysig 'da fi i weud 'tho ti."

"O, paid gweud nawr. Gwed pan 'yn ni yn yr honeymoon suite."

Mae'r ddau yn cyrraedd yr honeymoon suite ac yn mynd i'r gwely. Yn gorwedd yn y gwely, dyma hi'n troi at Joni unwaith eto.

"Reit, Joni bach. Mae rhaid i fi weud 'tho ti. Ti yw'r dyn cynta i fi gysgu 'dag e erioed."

Wel, gyda hyn, dyma Joni yn neidio allan

o'r gwely, pacio'i fagie, a gadael yn syth. Mae'n cyrraedd gatre, a'i fam yn gofyn, "Joni bach, beth ti'n neud gatre mor gynnar?"

"Wel, Mam," medde Joni, "Wnei di ddim credu. O'n i'n mynd i'r gwely, a wedodd hi mai fi yw'r dyn cynta iddi gysgu 'dag e eriod, felly baces i'r bags a gadel yn syth."

"Eitha reit hefyd. Os nagyw hi'n ddigon da i weddill y pentre, dyw hi ddim yn ddigon da i ti!"

Dyfan Roberts

Yr Hen Ddyn Budr

Does 'na'r un pentre bach
    o Bangkok i Droedyrhiw
Heb fod 'na rhyw Tom
    a rhyw Hari yn byw.
Ac os yw Hari a Tom yna,
    ew, fyddwch chi'n gwic,
Fetia i chi bum punt
    y ffeindiwch chi Dic.

Dic Aberdaron
    a Dic Bach Bryncrug
Dic Mawr Abertawe,
    a fi, Dic Llanrug.
Rydw i'n un o'r bois 'ma
    sy'n gwisgo hen facs
Dwi'n chware offeryn –
    rwy'n hoff iawn o'r sacs.

Ges i fymryn o golej
    mewn Maths a Geology
Ond ces radd MSc
    mewn Human Biology
Rwy'n cofio rhyw stiwdant,
    ei henw oedd Ann
Pan gydiodd yn fy nhest tiwb,
    o'n i'n teimlo reit wan.

Fyddwn i braidd yn swil,
    mae'ch anatomy'n goeth –
'Swn i'n meindio'r un blewyn
    os fysach chi'n noeth;
Medde hi, "Rydw i'n ddysgu
    Gymraeg reit ddyfal,"
Medde fi, "Mae'ch treiglade chi'n
    lyfli o feddal!"

Wel, toes gen i ddim trysor
    i lenwi fy nghôd,
Ond mae gen i arwyddair –
    'i fyny bo'r nôd'.
A dyma fy neges
    i bobol y byd –
Mae 'na ddarn o'r Dyn Budr
    ynom ni i gyd!

Glan Davies

Dyma Wncwl Dai ac Anti Cathy yn dechre
siarad am y dyfodol. A dyma Dai yn holi,
"Os bydden i'n marw, fyse ti'n ailbriodi?"
    "Mae'n bosib," medde hi.

Wedyn dyma fe'n holi, "Fyset ti'n mynd ag e i'n stafell wely ni?"

"Mae'n bosib," medde hi.

Mae Dai yn holi ymhellach: "Fyset ti'n smwddio'i ddillad e ac yn neud bwyd iddo fe?"

"Mae'n bosib," medde hi.

Gan ddechre poeni, dyma Dai yn holi, "Fyset ti'n rhoi menthyg fy ngolff clubs i iddo fe?"

"O, na," medde hi, "allen i byth â gwneud hynny."

"Pam 'nny?" medde Dai.

"Wel, llaw dde yw e, t'wel!"

Fe holodd yr athrawes Ishmel un bore, "O ble wyt ti'n dod?"

"O Bryngwyn, Miss," medde Ishmel.

"Ife?" medde'r athrawes. "Pwy bart?"

"Pob part ohono i, Miss!" medde Ishmel.

Fe wedodd yr athro wrth y plant yn y dosbarth un bore, "Pawb twp i godi ar ei draed." Gododd neb ar ei draed.

"Fe ofynna i eto," medde'r athro. "Pawb twp i godi ar ei draed." A chododd neb.

"Am y tro ola," medde'r athro, "pawb twp i godi ar ei draed." Ac yn sydyn, o gefn y dosbarth, fe gododd Islwyn ar ei draed. Yn digwydd bod, fe oedd *brains* y dosbarth.

"Islwyn," medde'r athro, "Sym o ti'n dwp."

"Na, fi'n gwbod 'nny, syr," atebodd Islwyn.

"Beth wyt ti'n neud ar dy draed, 'te?" medde'r athro.

"Wel, syr," medde Islwyn, "O'n i ddim yn lico gweld chi'n aros ar ben eich hunan!"

★ ★ ★

Dau ddyn yn cyrraedd y nefoedd wedi marw ar yr un diwrnod, o fewn hanner awr i'w gilydd. Mae'r cynta yn gofyn i'r llall, "Shwt fuest ti farw, 'te?"

"Hypothermia."

"Jiw, rhewi i farwolaeth – 'na ffordd wael o farw."

"O, fi'n gwbod. A beth amdanot ti?"

"Trawiad ar y galon."

"Shwt?" gofynnodd y llall.

"Wel, clywais bod fy ngwraig yn gweld rhywun arall tu ôl i fy nghefn. Felly es i adre un dydd a gofyn iddi. Wedodd hi 'na', ond doeddwn ddim yn 'i chredu. Es i lan stâr, edrych dan y gwely, yn y cwpwrdd, yn y bathrwm, wedyn nôl lawr i'r cwtsh dan stâr, edrych trwy bob cwpwrdd, dan bob bwrdd, ond doedd neb i'w weld. Dywedais sori wrth fy ngwraig, cododd y blood pressure, a bues i farw."

"Dylet ti fod wedi edrych yn y deep freeze – wedyn byddai'r ddau ohonon ni dal yn fyw!"

★ ★ ★

Dai ar wylie yn Iwerddon. Yn y gwesty, mae tri pwll nofio; un â dŵr cynnes, yr ail â dŵr oer, a'r trydydd yn wag. Dyma Dai yn gofyn i reolwr y gwesty, "Pam mae'r trydydd pwll nofio yn wag?"

"O, mae hwnna i rai sy'n ffili nofio!"

★ ★ ★

Seimon yn mynd i sioe awyrenne, ac yn cael cyfle i fynd lan mewn awyren gyda'r peilot. Mae'r awyren fach yn codi o'r ddaear ac yn dechre neud shunts, corkscrews, troi ben ucha'n isha, hedfan syth lan i'r awyr, troi a throi bob siâp. Fel y tric olaf, ma'r peilot yn diffodd yr injan a gadel i'r awyren gwympo yn gyflym i'r ddaear. Mil o droedfeddi o'r ddaear, mae'n troi yr injan nôl mlaen a hedfan lan i'r awyr, jest mewn pryd.

Mae'r peilot yn troi at Seimon, wrth bwyntio at y nifer o bobol ar y ddaear, gan ddweud, "Chi'n gwybod, o'dd hanner y dorf 'na yn disgwyl i ni gael damwain jyst nawr!"

Mae Seimon yn troi ato a dweud, "Chi'n gwbod, mae'n hanner ni lan fan hyn wedi cael damwain!"

★ ★ ★

Menyw newydd symud i'r stryd, a deg o blant ganddi. Deg o fechgyn. Ac mae hi wedi galw pob un ohonyn nhw yn Tomi! Gofynnais iddi un dydd, "Nagyw hi'n broblem cael deg o blant gyda'r un enw?"

"Wel, na," meddai, "pan rwy eisie iddyn nhw godi yn y bore, rwy'n gweiddi, 'Tomi' lan y stâr ac maen nhw i gyd yn codi. I'w cael nhw i fynd i'r ysgol, rwy'n gweiddi, 'Tomi', ac maen nhw i gyd yn mynd i'r ysgol. Gyda'r nos, rwy'n gweiddi, 'Tomi' ac maen nhw i gyd yn mynd i'r gwely."

"Ond," gofynnais, "beth os y'ch chi eisiau siarad â nhw'n unigol?"

"Dim problem. Rwy'n galw arnyn nhw wrth eu cyfenwau!"

★ ★ ★

Menyw yn cerdded lawr y stryd ac yn bwmpo mewn i ddyn tal, cyhyrog, golygus iawn. "Jiw," meddai, "Chi'n edrych fel fy seithfed gŵr."

"Chi wedi priodi saith gwaith?!" meddai'r dyn.

"Na, chwech, hyd yn hyn!"

★ ★ ★

"Wil bach," medde'r athrawes, "Wyt ti wedi bod yn copïo?"

"Nadw i, Miss," medde Wil.

"Wyt ddim," medde'r athrawes.

"Naddo ddim," medde Wil bach. "Ta beth, shwt allech chi ddweud?"

"Weda i wrthot ti," medde'r athrawes. "Ma Hywel sy'n ishte wrth dy ochor di wedi ateb y cwestiwn cynta gyda 'na', a ti wedi ateb y cwestiwn cynta gyda 'na'. Ma Hywel wedi ateb yr ail gwestiwn gyda 'odi', a ti wedi ateb yr ail gwestiwn gyda 'odi'. Nawr, ma Hywel wedi ateb y trydydd cwestiwn gyda 'fi ddim yn gwbod', a ti wedi ateb, 'na finne chwaith'!"

★ ★ ★

"Fi wedi ffeindio ffordd i gael gwared â'r sŵn yn y car."

"Shwt?"

"Gadel i'r wraig ddreifo!"

★ ★ ★

Mae Bill yn 92 ac yn penderfynu dreifo i Gaerdydd am y dydd. Mae Mair, ei wraig, yn dweud wrtho, "Nawr, Bill, dreifa'n ofalus, a cher â ffôn symudol."

Felly bant â Bill i Gaerdydd.

Chwech o'r gloch yn cyrraedd, a dim sôn am Bill. Yn ofidus, mae Mair yn ei ffonio fe. "Bill, ble wyt ti?"

"Wel, fi ar yr M4 rhwng Port Talbot ac Abertawe."

"Iawn, wel bydd yn ofalus. Maen nhw newydd ddweud ar newyddion Radio Cymru bod rhyw ffŵl yn dreifo lawr yr M4 y ffordd rong."

"O, paid sôn! Fi newydd baso cant a hanner o'r ffylied nawr!"

★ ★ ★

Mae 'da fi ffrind sydd 'bach yn araf – Arnold.
Ro'dd o'n cerdded lawr y stryd y dydd o'r
blaen, yn cario dau feic; un dan bob braich.

"Lle ti'n mynd â'r beics 'na, Arnold?"
ofynnais i iddo fe.

"Mae boi lawr y stryd fan hyn – dowlodd
e fricsen drwy'n ffenest i neithwr."

"O, dwi'n gweld – talu'r pwyth yn ôl…
ond pam mae isie dou feic?"

"Mae double glazing 'dag e!"

Hywel Jones

John yn 80 heddiw ac mae'n o'n penderfynu cael day of luxury. Mae'n cael bath â bybls. Felly mae'n gorwedd yn y bath ac yn codi ei draed i fyny.

"Penblwydd hapus, draed. Llongyfarch-iadau ar gyrraedd 80. O, 'dach chi wedi bod yn ffyddlon i mi dros y blynyddoedd. 'Dan ni wedi cerdded milltiroedd gyda'n gilydd."

Ac yn rhoi ei draed nôl i lawr. Nesa, mae'n codi ei bengliniau.

"Penblwydd hapus, bengliniau. Llon-gyfarchiadau, 'dach chi'n 80 heddiw. O, 'dan ni wedi plygu a cherdded ar hyd y mynyddoedd gyda'n gilydd."

Ac yn rhoi ei bengliniau nôl mewn i'r bath. Yna mae'n edrych ychydig bach uwch i fyny.

"Tasat ti'n dal yn fyw, basat ti'n 80 oed heddiw!"

★ ★ ★

Grŵp o ffrindia o Dregaron yn mynd ar wyliau i Sbaen. Un dydd, maen nhw'n penderfynu mynd i draeth noethlymunwyr. Wrth gyrraedd y traeth, dyma nhw'n gweld pawb yn cerdded a nofio yn noeth. Felly dyma nhw'n dechre stripio, gan deimlo'n eitha amharod i neud hyn. Ond o'r diwedd, mae'r ffrindia i gyd yn noeth, ac yn teimlo'n llawer mwy hyderus yn dangos eu darnau preifat i bawb. Ond y funud nesa, dyma fws mawr Evans Tregaron yn tynnu i fyny a pharcio ar bwys y traeth. Panics mawr! Dyma pawb yn gyflym yn rhoi eu dwylo dros eu darnau preifat – heblaw un, sy'n rhoi ei ddwylo dros ei wyneb.

"Beth ti'n neud?" meddai un o'r lleill wrtho. "Cuddia dy betha!"

"Pam? Fy ngwyneb i maen nhw'n nabod, nid fy mhen ôl i!"

Hywel Gwynfryn

Dyn yn sefyll ar long a phot yn ei law. Mae'n agor y pot a thynnu llwch ohono, ac yn dechrau taenu'r llwch dros y tonnau. Mae'r capten yn dod i sefyll wrth ymyl y dyn.

"Sumai. Noson braf."

"Sumai," meddai'r dyn.

"A be 'dach chi'n neud?" gofynnodd y capten.

"O, llwch fy mam-yng-nghyfraith ydy hwn, a dwi'n ei daenu fo dros y tonnau."

"Da iawn chi. Oeddach chi'n meddwl lot fawr ohoni?"

"Ddim o gwbl. Dwi'n casau pysgod!"

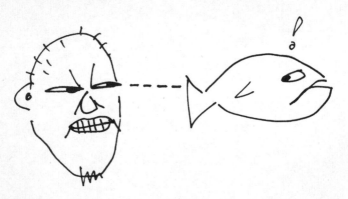

Dilwyn Morgan

Dyn yn mynd at y doctor a dechra siarad, ond dydi'r doctor ddim yn dallt gair ohono fo.

"Sori, duda hynna eto," meddai'r doctor.

Felly dyma'r boi yn dechra siarad eto, ond dydi'r doctor dal ddim yn ei ddallt o.

"Reit, dyma bapur a pen. Sgrifenna lawr beth ydi'r broblem."

Mae'r boi yn sgwennu, "Annwyl Doctor, does neb yn fy nallt i'n siarad, a wnewch chi fy helpu?"

"Iawn, dim problem," meddai'r doctor. "Peth cynta i wneud yw tynnu dy drowsus a dy drôns."

Mae'r dyn yn dechra mymblo petha

annealladwy a ysgwyd ei ben yn ffyrnig.

"Gwranda. Dwi'n ddoctor profiadol iawn. Dwi wedi trafaelio'r byd a gweld llawar o bethau gwahanol. Mi wn i be dwi'n ei wneud."

Felly yn araf, mae'r dyn yn tynnu ei drowsus a'i bants i lawr.

"Reit, nawr plyga drosodd," meddai'r doctor.

Tro hyn mae'r dyn yn gweiddi petha annealladwy ac ysgwyd ei ben yn fwy ffyrnig nag o'r blaen.

"Nawr gwranda. Mi wn i be dwi'n ei wneud."

Yn araf bach mae'r dyn, felly, yn plygu drosodd tu flaen i'r doctor.

Mae'r doctor yn mynd at ei fag a thynnu pocer hir, metal allan.

"Bydd yn barod am ychydig o sioc," meddai'r doctor, wrth hyrddio'r pocer i fyny pen ôl y dyn.

"Aaaaaaaaaaaaaaaaaaaaaaaa!" gwaeddodd y dyn.

"Da iawn! Ty'd nôl fory, ac fe weithiwn ni ar B!"

Alwyn Siôn

John yn mynd at y doctor, a'r doctor yn deud, "John, mae gen ti wyth awr i fyw."

"Na! Dydw i ddim yn eich credu!"

Felly dyma John yn mynd ar draws y dre i gael second opinion. Ac mae'r ail ddoctor yn deud yr un peth, ond erbyn hyn dim ond saith awr sydd ganddo ar ôl i fyw.

Erbyn i John gyrraedd adre, mae ganddo chwech awr i fyw, a mae'n deud y newydd-ion trist wrth ei wraig.

"O, John druan! Be hoffet ti wneud am y chwech awr nesaf? Dyweda di. Unrhyw beth."

"Wel, mi fyswn i'n licio caru efo ti," meddai John.

"Dim problem."

Felly mae'r ddau yn caru, wedyn mae John yn edrych ar ei wats. Pum awr ar ôl.

"Be hoffet ti wneud rŵan, John?"

"Wel, 'swn i'n licio caru eto."

Felly dyma nhw'n caru eto. Mae John yn edrych ar ei wats. Pedair awr ar ôl i fyw.

"Be rŵan, John?"

"Wel, liciwn i garu efo ti eto," meddai John.

"Dim problem," meddai'r wraig, a dyma nhw'n caru unwaith eto. John yn edrych ar ei wats wedyn. Tair awr.

"Wel, be rŵan, John? Be hoffet ti wneud?"

"Liciwn i garu unwaith eto yn fawr iawn!"

"O, mae'n iawn i chdi, John bach, 'sdim isio i chdi godi bore fory!"

Lynne Jones

Joni bach wedi bod yn y llynges ers chwech mis. Mae'n derbyn llythyr gan ei fam yn dweud, "Annwyl Joni, diolch am sgrifennu'n ffyddlon dros y misoedd. A fyddai'n bosib cael llun ohonot, i fi gael gweld bo ti'n saff ac yn iach?"

Wel, dim ond un llun sy 'da Joni; llun ohono fe'n pôso'n noeth ar bwys awyren – llun roedd rhai o'r bois wedi'i dynnu, fel jôc. Meddyliodd wrtho'i hun, "Be wna i yw torri'r llun yn hanner, a hala'r hanner top i Mam." A dyna beth mae'n ei wneud.

Pythefnos yn pasio, a Joni yn derbyn llythyr arall gan ei fam: "Annwyl Joni, diolch am y llun. Neis gweld dy fod yn iach. A fyddai'n bosib i Mam-gu gael llun hefyd?"

Rodd hyn yn broblem, gan mai'r unig lun oedd gyda Joni oedd hanner gwaelod y llun noeth. Ond meddyliodd wrtho'i hun, "Mae Mam-gu yn 93, a dyw ei llygaid ddim rhy sbesial." Felly fe anfonodd hanner gwaelod y llun i'w fam-gu.

Pythefnos yn pasio, a Joni yn derbyn llythyr, gan ei fam-gu y tro yma: "Annwyl Joni bach, diolch yn fawr am y llun ohonot. Ti'n edrych yn union yr un fath â dy dad-cu… dy wallt yn fês i gyd a dy dei i un ochr!"

Dai Jones

Dyn a menyw ar noson eu priodas yn yr ystafell wely. Mae'r fenyw yn y gwely yn barod, ond mae'r dyn yn pôsan o flaen y drych yn ei bants. Mae'r dyn yn pwyntio at y cyhyre ar ei fraich a gweud, "'Drycha, Meg – yn y fraich yna, mae 100 pwys o ddeinameit."

Wedyn mae'n fflecso'i fraich arall a dweud, "Meg, mae 100 pwys o ddeinameit yn y fraich 'ma hefyd." Nesa, mae'n anadlu mewn yn ddwfn, gan ddweud, "Meg, edrycha ar fy mrest, mae 400 pwys o ddeinameit fan'na."

Gyda hyn mae'r dyn yn tynnu ei bants i ffwrdd ac mae Meg yn sgrechian ac yn rhedeg allan o'r stafell a lawr stâr.

"Bachan, beth sy'n bod?" meddai'r porthor yn syn.

"Wel, fi yn y gwely gyda 600 pwys o ddeinameit – a'r ffiws fyrraf welais i erioed!"

★ ★ ★

Gŵr a gwraig drwm-ei-chlyw ar wylie yn America ac yn cwrdd ag Americanwr sy'n siarad Cymraeg.

"Shwmai," medde'r Americanwr. "O le chi'n dod?"

"Aberystwyth," medde'r gŵr.

"Beth wedodd e?" gofynnodd y wraig.

"Gofyn o ble ni'n dod," atebodd ei gŵr yn uchel.

"O."

"Bues i yn Aberystwyth unwaith amser y rhyfel," medde'r Americanwr.

"Beth wedodd e?"

"Mae wedi bod yn Aber amser y rhyfel."

"O."

"Bues i'n caru merch 'na am bedair blynedd."

"Beth wedodd e?"

"O'dd e'n caru merch 'na am bedair blynedd."

"O."

"Hen ferch hyll, byth yn hapus gydag unrhyw beth."

"Beth wedodd e?"

"Fod e'n nabod ti'n iawn!"

★ ★ ★

Un bore mae Tom yn safio dyn dieithr rhag boddi yn yr afon. Yn y prynhawn mae plisman yn dod ato a gofyn, "Ife ti safiodd y boi 'na rhag boddi yn yr afon?"

"Ie, fi oedd e," meddai Tom.

"Wel, 'da fi newyddion drwg. Mae wedi crogi ei hunan ar goeden."

"Na, fi roddodd e 'na i sychu!"

Gareth Owen

Boi'n mynd i mewn i far yn Aberystwyth a gofyn am chwech wisgi. Mae'n ei leinio nhw ar y bar ac yfed pob un, un ar ôl y llall.

"Duw, pam 'dach chi'n yfed chwech wisgi mor gyflym â hynna?" gofynnodd y dyn tu ôl i'r bar.

"Fasach chi'n neud yr un peth, tasa gynnoch chi be sy gen i."

"Be sy gynnoch chi?"

"One pound twenty seven pence!"

★ ★ ★

Gŵr yn dweud wrth ei wraig, "Reit, dwi'n mynd allan am beint."

"Cyn i ti fynd, a wnei di beintio to'r gegin, plîs?"

Mae'r gŵr yn troi rownd a dweud, "Ydy o'n deud 'peintiwr' ar fy nhalcen i?"

"Wel, na," meddai hi, ac allan â'r gŵr trwy'r drws.

Wrth iddo adael, mae'r wraig yn gweld y giât ffrynt yn hongian oddi ar ei hinjis.

"Wnei di drwsio'r giât cyn mynd?"

Unwaith eto, mae'r gŵr yn troi rownd a dweud, "Ydy o'n deud 'saer' ar fy nhalcen i?"

A gyda hynny, i ffwrdd â fo am y dafarn.

Wedi amser cau, mae'n dod nôl adre.
Wrth gerdded am y tŷ, mae'n gweld bod y
giât wedi'i thrwsio. Mae'n mynd mewn i'r tŷ
a gweld bod to'r gegin wedi'i beintio.

"Pwy drwsiodd y gât a peintio to y gegin?"

"Wel, wyddost ti'r dyn ifanc cyhyrog sy'n
byw dros y ffordd? Ddaeth o draw i wneud."

"Dalaist ti iddo fo?" gofynnodd y gŵr.

"O, na. Fe ofynnodd naill ai am gael pryd
o fwyd, neu am gael mynd â fi i'r gwely a
caru am ddwy awr."

"Iawn, be wnes ti goginio iddo fo?"
gofynnodd y gŵr.

"Ydy o'n deud cwc ar fy nhalcen i?"

★ ★ ★

Mae Jac, twpsyn y pentre am goginio cinio
dydd Sul. Wrth agor y pacad pys, mae'n
gweld y geiriau, "cook separately".
Cymerodd y coginio naw awr!

★ ★ ★

Dynes yn mynd i hotel yn Llandudno, a
gofyn, "Ydach chi'n syrfio crancod?"

"'Dan ni ddim yn ffysi fa'ma – syrfiwn ni
unrhyw un!"

★ ★ ★

Dwi 'di bod yn cael trafferth efo Taid yn
ddiweddar. Un dydd dyma fo'n mynd i
Abergele yn ei gar efo'r ci yn y sêt flaen. Ar
ôl ychydig dyma fo'n gweld car plismyn tu ôl
iddo fo, a'r gola glas yn fflachio. O weld hyn
dyma Taid yn dechre colbio'r ci, gan roi
clustan ar ôl clustan iddo fo. Dyma'r car
plismyn wedyn yn pasio car Taid a'i stopio,
gyda'r plismon yn gofyn, "Be 'dach chi'n
neud, yn colbio'r ci fel 'na?"

"Fysach chi'n colbio'r ci hefyd 'sach chi'n gwbod be mae o 'di neud," medda Taid.

"Be mae o 'di neud?" medda'r plismon.

"Mae o 'di byta'r drwydded oddi ar y windscreen!" medda Taid.

★ ★ ★

Dyma boi double glazing yn galw draw'r diwrnod o'r blaen.

"Ia," medda Taid, "Be 'dach chi isho?"

"Wedi dŵad o Everest ydw i," medda'r dyn.

"Wel dewch fewn," medda Taid. "Mae'n siŵr 'ych bod chi'n rhynnu."

"Naci," medda fo, "dod i weld am y double glazing ydw i," medda fo.

"Be amdano fo?" medda Taid.

"Wel, mae o 'di bod gynnoch chi ers dwy flynedd a 'dan ni ddim wedi cael ceiniog gynnoch chi."

"Wel, chi ddudodd y basa fo 'di talu amdano'i hun mewn blwyddyn a hanner!" medda Taid, a chau'r drws yn ei wyneb o!

★ ★ ★

Gŵr a gwraig yn mynd allan i westy i gael bwyd.

"Oes gynnoch chi hwyaden wyllt?" gofynnodd y wraig i'r waiter.

"Mae gynnon ni un ddof, ond os liciwch chi, mi fedra i ei phrofocio hi!"

Terry Phipps

Dyn yn mynd at y doctor ac yn gofyn am
dabledi cysgu i'w wraig.

"Pam?" meddai. "Ydi hi'n cael trafferth yn
cysgu?"

"Na," atebodd y dyn. "Mae hi newydd
ddeffro."

★ ★ ★

Yn hwyr yn y nos mae ffôn Mr Evans yn
canu.

"Helo?"

"O helo, Mr Evans. Dr Thomas sy 'ma.
Mae gen i newyddion drwg a newyddion
drwg iawn. Pa un hoffech chi glywed gynta?"

"Wel, y newyddion drwg, plîs."

"Mae gynnoch chi 24 awr i fyw."

"O, na! Os mai dyna'r newyddion drwg,
beth yn y byd all y newyddion drwg iawn
fod?"

"Mi driais i'ch ffonio chi ddoe."

★ ★ ★

Mae pen-blwydd Sara wythnos nesa, a dydi
Tom ei gŵr ddim yn gwbod beth i'w brynu
iddi. Felly mae'n mynd i'r siop efo chwaer
Sam. Ar ôl llawer o bendroni, mae Tom yn
dewis prynu pâr o fenig newydd iddi. Fel
mae'n digwydd, mae chwaer Sara yn prynu
pâr o nicyrs iddi'i hun. Wrth i'r siop lapio'r
ddau, maent rywsut yn cael eu cyfnewid.
Rŵan mae'r nicyrs gan Tom, a'r menig gan
chwaer Sara, ond dydi'r un o'r ddau yn
gwbod hyn. Mae Tom yn postio'r presant at
Sara, ac yn sgrifennu llythyr hefyd:

"Fy anwylyd,
    Mi ddewisais y rhain i ti achos sylwais nad
wyt byth yn gwisgo rhai pan awn allan yn y
nos. Heblaw am dy chwaer, baswn wedi
dewis rhai hir efo botymau. Ond mae hi'n
gwisgo rhai bach sy'n hawdd eu tynnu. Mae
rhain yn lliw gola, ond mi ddangosodd dynes
y siop y rhai oedd hi wedi bod yn gwisgo am
dair wythnos i mi, a chydig iawn o wear
oedd ar rheiny. Roedd hi'n ddigon caredig i
roi y rhai brynais i i ti amdani, a del iawn
oedd hefyd. Dwi'n pitïo na alla i fod efo ti
pan ti'n trïo nhw mlaen am y tro cynta,

oherwydd wrth gwrs pan wela i di nesa, bydd lot o ddwylo eraill wedi cyffwrdd â nhw.

Meddylia sawl gwaith y bydda i'n eu cusanu nhw yn ystod y flwyddyn nesaf, a dwi'n mawr obeithio byddi di'n eu gwisgo nhw pan wela i di nos Wener. Ond pan ti'n eu tynnu nhw i ffwrdd, cofia ei bod hi'n bwysig i ti chwythu ynddyn nhw cyn eu rhoi i gadw, oherwydd byddant dipyn bach yn damp ar ôl i ti eu gwisgo nhw."

★ ★ ★

Mae'n noson uffernol o glós ac mae dyn yn cerdded drwy'r parc. Wrth gerdded heibio llyn, dyma gael y syniad i fynd i nofio ynddo, gan ei bod hi mor gynnes. Ond does dim dillad nofio ganddo, felly mae'n edrych o gwmpas, a does dim sôn am neb arall yn unman. Dyma'r dyn yn tynnu'i ddillad i gyd, a neidio mewn i'r llyn yn noeth. Ar ôl chwartar awr o nofio, mae'n teimlo'n lot gwell – wedi cŵlio lawr yn hyfryd. Ond yna yn y pellter mae'n gweld dynas yn cerdded at y llyn. Mae'n panicio, ac yn neidio o'r llyn, ond yn methu dod o hyn i'w ddillad.

Yn handi iawn, mae bwced i gael ar lan y

llyn, felly mae'n ei defnyddio i guddio ei betha! Mae'r ddynes yn agosau ac yn dechrau siarad efo'r dyn.

"Noswaith dda," medda hi.

"Helo, sumai?"

Ac mae'r ddau yn siarad am rai munudau, a'r dyn yn dal i sefyll yn dal y bwced.

"Wyddoch chi," meddai'r ddynas, "dwi'n medru darllen meddyliau pobol."

"Dim peryg," medda fo.

"O, wir i chi," medda hi.

"O, be dwi'n feddwl rŵan?" gofynnodd y dyn.

"Wel, 'dach chi'n meddwl bod gwaelod ar y bwced 'na!"

★ ★ ★

Beth ydi'r gwahaniaeth rhwng twrna a Duw? Tydi Duw ddim yn meddwl ei fod yn dwrna.

★ ★ ★

Mi gladdon ni 'nhaid wsnos dwytha. Roedd y creadur wedi bod yn wael ers peth amser ond rhyw bythefnos yn ôl fe rwbiodd fy nain saim ar ei gefn i gyd – ac mi aeth i lawr allt yn sydyn ar ôl hynny!

★ ★ ★

Ffarmwr yn gofyn i'w was fynd i'r dre i nôl
rhywbeth o'r siop ac yn lluchio goriadau'r
pick-up iddo. Rhyw hanner awr wedyn
dyma'r ffôn yn canu yn y fferm – y ffermwr
yn ateb, a chlywed y gwas ar y pen arall
mewn tipyn o banic.

"Be sydd? Wyt ti byth wedi cyrraedd y
dre?"

"Wel, nac ydw – wedi cael anffawd braidd,
ac arna i mae'r bai hefyd. Mi oeddwn i'n
dreifio lawr y lôn ac yn edrych o 'nghwmpas
yn hytrach na chonsentreiddio ar y lôn a mi
nes i hitio rywbath. Ar ôl mynd allan i weld
be oedd wedi digwydd – mae'n rhaid fod y
mochyn 'ma yn sefyll o mlaen i. Welish i
mohono fo, a'r canlyniad rŵan ydi ei fod o'n
sownd ar flaen y pick-up a fedra i ddim mynd
ymlaen heb ei gael o i ffwrdd."

"Be 'di'r broblam?" meddai'r ffarmwr.
"Dos i nôl y rhaw sydd yng nghefn y pick-
up, crafa'r mochyn i ffwrdd, lluchia fo dros y
clawdd i'r cae agosaf a ffwrdd â chdi i'r dre.
Ti'n meddwl y medri di neud hynny?"

"Dim problem, bos," a ffwrdd â fo.

Ymhen ryw ddeg munud, dyma'r ffôn yn

canu yn y fferm eto – y gwas eto.

"Problem arall, bos."

"Be rŵan?" meddai'r ffermwr. "Wnest ti
fel y deudis i wrthat ti?"

"Do, yn union fel roeddwn i i fod i neud –
nôl y rhaw, crafu'r mochyn i ffwrdd a'i
luchio i'r cae."

"Wel, be sydd rŵan, 'ta?"

Ac meddai'r gwas, "Ma'r gola glas yn dal i
fflachio ar 'i foto beic o!"

★ ★ ★

Pam fod dynion yn marw cyn eu gwragedd?
Am eu bod nhw eisiau!

★ ★ ★

Dyn yn eistedd yn gwylio'r teledu un gyda'r
nos pan ruthrodd ei wraig i'r stafell ac, heb
ddweud dim, yn ei hitio ar gefn ei ben hefo'r
badell ffrio.

Ac meddai yntau, "Pam affliw wnest ti
hynna?"

"Mi oeddwn i'n gwagio pocedi dy drowsus
cyn eu golchi bora 'ma pan welish i'r darn
papur 'ma hefo rhif ffôn arno fo. Mae gen ti
ddynas arall, 'toes?"

"Dynas arall, wir! Isio rhoi pres ar geffyl

oeddwn i, ac amser y ras i f'atgoffa fi ydi hwnna – nid rhif ffôn."

Digon o eglurhad i'r wraig, ac wedi ymddiheuro, yn ôl â hi i'r gegin.

Drannoeth, yr un sefyllfa – y dyn yn ei hoff gadair a'r wraig wrth ei gwaith. Unwaith eto dyma badell ffrio ar ei wegil.

Mewn cymaint o sioc, meddai'r gŵr, "Be sy rŵan eto?"

"Wel," meddai'r wraig, "gwahanol drowsus i'w olchi heddiw a darn arall o bapur – a rhif ffôn arall. Pa ddynas ydi hon?"

"Sawl gwaith mae angen i mi ddweud? Unwaith eto, mi oeddwn isio rhoi pres ar geffyl ac er mwyn cofio'r pris dyma ei nodi ar bapur – hwnna ffendis ti yn y trowsus. Dynas arall, wir!"

Diwrnod wedyn – yr un sefyllfa – y dyn yn 'i gadair, y wraig yn rhedeg i fewn a'r badell ffrio yn cyfarfod â chefn ei ben gyda chryn egni.

Ac meddai'r gŵr, "Dim darn arall o bapur yn fy nhrowsus?"

"Naci," meddai ei wraig. "Mi ffoniodd dy geffyl di bora 'ma!"

★ ★ ★

Dyn ifanc yn byw ar y trydydd llawr mewn
bloc o fflatiau yn barod i fynd allan un gyda'r
nos ond yn ansicr os oedd angen mynd a
chôt, felly allan ag o ar y balconi. Dyma ddal
ei law allan i weld os oedd hi'n bwrw ac wrth
wneud hynny yn teimlo rhywbeth yn glanio
yn ei law – edrych i lawr a sylwi mai llygad
wydr oedd yno.

Ar hynny clywodd weiddi, edrychodd i
fyny a gweld merch ifanc yn sefyll ar falconi
fflat bum llawr yn uwch i fyny, yn amlwg
mewn panic ond rhy uchel iddo ddeall beth
oedd hi'n drio ddweud. Felly allan o'i fflat ag
o, i mewn i'r lifft ac i fflat y ferch oedd
mewn trafferth – merch nad oedd erioed
wedi ei chyfarfod o'r blaen.

Dyna lle'r oedd y ferch yn disgwyl amdano
wrth y drws, ac eglurodd ei bod yn sefyll ar ei
balconi yn edrych i lawr pan ddisgynnodd ei
llygad wydr allan, a phetai'r dyn ddim yn
digwydd bod yn dal ei law allan yn is i lawr
ac wedi dal y llygad, yna mi fyddai wedi
disgyn i'r llawr a malu'n deilchion a byddai
wedi costio cryn dipyn i brynu llygad
newydd.

I ddangos ei gwerthfarogiad croesawodd y
dyn i'w fflat i rannu pryd o fwyd a oedd

newydd ei wneud ac hyd yn oed agor potel win. Er bod y dyn ar fin mynd allan am y noson ac er iddo egluro hynny, fe'i perswadiwyd i aros gan fod y ferch mor ddiolchgar am yr hyn a wnaeth.

Wedi gorffen y pryd cododd y dyn yn barod i fynd, ond neidiodd y ferch i fyny a gofyn iddo aros y noson er mwyn iddyn nhw gael dod i adnabod ei gilydd tipyn gwell ac iddi hi gael dangos ei gwerthfawrogiad go-iawn!

"Bobol annwyl!" meddai yntau, "Ydych chi'n gwneud hyn hefo pob dyn 'dach chi'n gyfarfod am y tro cyntaf erioed?"

"Nac ydw," meddai hithau. "Dim ond hefo rheini sy'n dal fy llygad!"

Llion Williams

Dyn 95 mlwydd oed yn mynd i mewn i eglwys Gatholig ac yn eistedd yn y confession box.

"Fedra i'ch helpu chi?" meddai'r offeiriad.

"Wel, mi ydw i'n 95 mlwydd oed, ac wedi cael merch 21 oed yn feichiog."

"Dydw i ddim yn nabod y llais," meddai'r offeiriad. "Ydw i'n eich nabod chi?"

"Nac 'dach."

"Ydach chi'n dod o'r ardal?"

"Nac 'dw."

"Ydach chi'n Gatholig?"

"Nac 'dw."

"Wel, pam 'dach chi'n deud wrtha i?"

"Dwi'n deud wrth bawb!"

★ ★ ★

Dyn yn mynd at y check-out yn yr archfarchnad hefo un tun o baked beans, un pot nŵdl, yn wy, un selsig, ac un toilet rôl. Mae'r ddynas ar y check-out yn gofyn, "Ydach chi'n byw ar eich pen eich hun, syr?"

"Ydw," atebodd y dyn. "Sut oeddach chi'n gwybod? Achos bod gin i un o bob peth?"

"Naci, am eich bod chi'n hyll!"

★ ★ ★

Sut mae merched Bala yn troi'r gola mlaen ar
ôl bod yn caru?
Drwy agor drws y car!

★ ★ ★

Wythnos diwethaf, penderfynais fynd i Marks
& Spencer i brynu bra newydd i fy nghariad.
Wrth gyrraedd, dyma'r personal assistant yn
neidio ata i.

"Bore da, syr. Sut alla i fod o gymorth i
chi heddiw?" meddai mewn llais uchel a
hapus.

"Wel, hoffwn brynu bra i fy nghariad, ond
does gen i ddim syniad lle i ddechrau."

"Dim problem. Be am ddechrau fan hyn?"
meddai, gan godi bra o'r rac. "Mae'r bra yma
yn hen ffefryn syr – y bra Sosialaidd."

"Y bra Sosialaidd? Pam yn y byd 'dach
chi'n galw hwnna'n fra Sosialaidd?"

"Achos mae hwn yn cynnal ac yn
gwarchod y mwyafrif."

"Reit," medda fi. "Be am hwn, 'ta?" gan
bwyntio at fra gwahanol.

"Bra Byddin yr Iachawdwriaeth ydi
hwnna."

"Bra Byddin yr Iachawdwriaeth! Pam 'dach chi'n galw hynny arno fo?"

"Achos mae hwn yn codi'r rhai sydd wedi syrthio."

Erbyn hyn roeddwn wedi drysu'n llwyr. "Wel, be ddyliwn i gael, 'ta? Does dim syniad gen i."

"Wel, gan eich bod chi'n Gymro, mae gennym lein newydd o fras, newydd ddod i mewn bore 'ma. Dyma hi, Bra Cymreig Dewi Sant."

"Bra Cymreig Dewi Sant? Pam? Does 'na ddim draig goch ar ei chopa!"

"Wel, mae'r bra yma yn gneud gwyrthiau. Mae'n sicrhau bod 'na fryniau lle doedd dim o'r blaen!"

★ ★ ★

Dydi ceir a merched ddim yn good mix. Os 'dach chi'n gweld gŵr yn agor drws car i'w wraig, 'dach chi'n gwbod fod naill ai'r car neu'r wraig yn newydd!

Mae Emyr yn dreifo'i gar fel mellten… hitio coed trwy'r amser!

★ ★ ★

Gŵr a gwraig yn dreifo nôl o dŷ bwyta. Hanner ffordd gartre, mae'r heddlu yn fflachio'u goleuadau ac mae'r gŵr yn stopio'i gar ar ochr y ffordd.

"Esgusodwch fi, syr. Sylwoch chi eich bod yn gwneud 95 milltir yr awr?"

"O, sylwais i ddim," meddai'r gŵr.

"Paid â deud celwydd," meddai'r wraig. "Ti wastad yn dreifo fel ffŵl."

"Bydd ddistaw," gwaeddodd y gŵr.

"Wel, syr. Sylwoch chi nad oeddech chi'n gwisgo gwregys diogelwch, ac nad ydi golau'r car yn gweithio?"

"Wel, dyna od. Mi fydda i wastad yn gwisgo gwregys diogelwch fel arfer, ac roedd y golau yn gweithio bum munud yn ôl!"

"Paid â deud celwydd!" meddai'r wraig. "Ti byth yn gwisgo gwregys, a dydi'r golau ddim wedi gweithio ers 1972!"

"Cau dy geg!" meddai'r dyn.

Meddai'r plismon, "Wna i adael i chi fynd y tro yma, ond dyma'r cyfle olaf." Trodd at y wraig a gofyn, "Ydy o wastad yn gweiddi arnoch chi fel hyn?"

"O, na," atebodd hithau. "Dim ond ar ôl yfed deg potel o Newcastle Brown!"

★ ★ ★

Dwi ddim yn credu mewn rhyw cyn priodas. Na, mae'n eich gneud chi'n hwyr i'r seremoni!

★ ★ ★

Gŵr yn meddwl, beth alla i brynu i'r wraig, sydd â phopeth?
Antibiotics!

Toni Carrol

Gwraig: Jiw, chi'n gwbod Dai drws nesaf,
mae e wedi cael fasectomi.
Gŵr: 'Na od; dim ond mis yn ôl ga'th e
Vauxhall!

Ifan Gruffydd

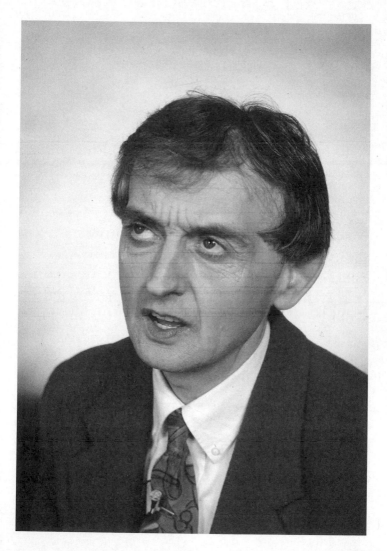

Tomi bach yn yr ysgol, a Miss Jones yn gofyn iddo, "Reit 'te, Tomi, ydych chi'n gwybod pwy oedd gwraig Lot?"

Meddyliodd am ychydig cyn ateb, "Ife Elizabeth Taylor?"

★ ★ ★

Mae merched yn hoffi'r pethe syml mewn bywyd – dynion!

★ ★ ★

Mae menywod priod yn pwyso mwy na menywod sengl. Y rheswm am hynny yw, pan ddeith menyw sengl gatre yn y nos, eith hi'n syth i'r gwely ac efallai codi nes mlaen i weld beth sydd yn y ffrij. Pan mae menywod priod yn dod gatre yn y nos, maen nhw'n gwybod yn union beth sydd yn y gwely, ac yn mynd yn syth i'r ffrij!

★ ★ ★

Ffarmwr ar ei ffordd gatre un nos Sadwrn yn ei Land Rover. Mae'r newyddion ymlaen ar y radio gydag e, a mae'r rhifau loteri yn dod lan. Mae'r llais ar y radio yn gweud bod 'na un enillydd. Gyda hyn mae'r ffarmwr yn edrych ar ei docyn loteri ar y dashboard.

Mae'n stopo'r Land Rover mewn sioc, tsieco'r tocyn unwaith, ddwywaith, deirgwaith. Ie, fe yw'r enillydd! Yn gyflym, mae'n ffonio ei wraig ar y ffôn symudol.

"Mari, Mari! Fi wedi ennill y loteri. £5 miliwn, chwech rhif, y wobr gyntaf!"

"Ti'n siŵr? Ti wedi tsieco?"

"Ydw, £5 miliwn! Cer glou, a paca'r bags i gyd, y cêsys, popeth," meddai'r ffarmwr.

"O, reitô," medde'r wraig. "Ydw i fod paco nhw ar gyfer yr haf neu'r gaeaf?"

"Sdim ots 'da fi, cyn belled â bod ti wedi mynd erbyn i fi gyrraedd gatre!"

★ ★ ★

Cwympais ar yr heol ddoe a neud dolur i fy nghoes. Ond fy mai i oedd e. O'dd sein uwch yr heol yn gweud slip road!

Don Davies

Harri yn dweud 'tho Dic un dydd, "Os fyddi di byth yn hwyr gatre o'r dafarn un nos, cer mewn i'r gwely yn dawel o ben y traed, a chusana dy wraig drosti i gyd."

Un noson, roedd Dic yn hwyr, felly gwnaeth e fel wedodd Harri, yn dechre gyda'r traed, cusanu drosti i gyd. Ar ôl tua pum munud o wneud hyn, cafodd syched, felly aeth e lawr stâr i gael gwydraid o ddŵr. Daeth ei wraig mewn i'r gegin a gweud yn yn dawel, "Dic, paid â chadw sŵn, mae Mam yn cysgu lan yn y gwely!"

★ ★ ★

Gŵr a gwraig newydd briodi ac yn mynd ar eu mis mêl i Ganada. Does dim un o'r ddau erioed wedi hedfan o'r blaen. Dyma nhw'n mynd mewn i'r awyren ac eistedd mewn dwy sêt wag. Roedden nhw'n joio yn barod – seddi cyfforddus, gweld popeth mas trwy'r ffenest, sein bach yn gweud 'dim ysmygu';

odd y ddau yn hapus ac yn gyfforddus iawn.

Yn sydyn dyma ddyn yn sefyll ar eu pwys gan ddweud, "Esgusodwch fi, misus, ond fy sêt i yw hon."

"Wel, na, rwy'n flin iawn, ond ni oedd yma gyntaf. Does dim enwau ar y seddi 'ma."

"Fi'n deall yn iawn," atebodd y dyn, "ond fy sêt i yw hon."

"Sori, ond 'dyn ni ddim yn symud."

"Iawn, hedfanwch chi'r awyren, 'te!"

★ ★ ★

Boi yn cyrraedd nôl i'w dŷ yn Llanilar wedi meddwi'n dwll. Dyna fe'n stagro lan stâr i'r stafell wely ac yn ffindio dyn arall yn y gwely 'da'i wraig.

"Be chi'n (hic) neud?" medde fe.

Trodd ei wraig at y dyn dierth, a dweud, "Wedes i bo fe'n dwp!"

★ ★ ★

Dorian yn dreifio lawr yr M4 ac yn cael ei stopo gan yr heddlu.

"Esgusodwch fi, syr," medde'r heddwas. "Ydych chi'n gwbod bod chi'n neud 100 milltir yr awr?"

"Dim siawns! Fi ddim wedi bod mas am awr!"

"Peidiwch bod yn dwp," medd y plisman. "Dewch i fi gael gweld eich trwydded."

Dorian yn pasio ei drwydded iddo trwy'r ffenest.

"Bachan, trwydded ci yw hwn!"

"Wrth gwrs − fi'n dreifo Rover!"

★ ★ ★

Mae'r wraig â llyged sy'n dweud, "Dere i'r gwely."

Ond â chorff sy'n dweud, "Saf le wyt ti, paid boddran."

★ ★ ★

Tomos yn gofyn i'w wraig, Jên, beth hoffai ar ei phen-blwydd.

"Wel," meddai, "os ga i ddwy garden wrtho ti, bydda i'n ddigon hapus."

"Be ti moyn 'da dwy garden pen-blwydd?"

"Na, na − un Switch, a un Mastercard!"

★ ★ ★

Fi ddim wedi siarad â'r wraig ers mis. Ddim achos ein bod ni wedi cwympo mas; dwi jyst ddim moyn torri ar ei thraws hi!

★ ★ ★

Mae'r wraig yn joio siopa. Wythnos diwetha, odd hi'n siopa yn Abertawe. Prynodd hi bâr o nicyrs newydd. Ond o'n i'n eitha shocked i weud y gwir; o'dd e'n gweud Next ar y label!

★ ★ ★

Boi yn cael ei ddala yn dreifo'n gyflym, felly y diwrnod ar ôl hynny mae'n mynd i orsaf yr heddlu gyda'i leisens dreifo. Wrth sefyll yno, mae'n edrych ar lunie o wahanol bobol lan ar y wal. Llunie o 'wanted people' ŷn nhw.

Daw'r plismon mewn a sylwi arno'n edrych ar y llunie.

"Ydych chi wedi gweld rhai ohonyn nhw? Mae angen eu dal nhw."

"Na. Ond nagoch chi bach yn slow, 'te? Pam wnaethoch chi ddim dala nhw ar ôl tynnu'r llunie?"

John Ogwen

Ddoth y diafol i'r pyb 'cw'r noson o'r blaen –
ar fy marw. Ac roedd pawb 'di dychryn.
Pawb ar wahân i Wil Parry. Aeth y diafol
fyny ato fo a deud: "Ti'n gwbod pwy dwi
washi?"

"Nacdw," medde Wil.

"Y Diafol."

"Dow, ia?"

"Does gen ti ddim fy ofn i?" medde'r
Diafol.

"Nac oes," medda fo, "dwi 'di priodi dy
chwaer di ers deugain mlynadd!"

★ ★ ★

Dwi'n nabod yr hen gwpwl 'ma – El a Bet.
Mae'r hen Bet o gwmpas ei phetha, ond ma'r
hen El yn dechra mynd yn gaga. Hi sy'n
ordro pob dim iddo fo.

Ryw ddydd, dyma'r doctor yn dod i'r pyb
'cw a deud bod El a Bet 'di bod yn cael
check-up. Roedd hi, Bet, fel cloch y Bala,
ond roedd El yn fater gwahanol. Fel roedd y
doctor yn mynd i roi corn arno fo, dyma fo'n
deud, "Dwi'n iawn wch chi, doctor, dwi'n
champion, sdim isio i chi boeni amdana i –
ma Duw yn edrych ar fy ôl i."

"O, felly wir," medda'r doctor.

"Pan dwi'n codi yn y nos i basio dŵr, dwi'n champion – pan dwi'n codi caead y pan, mae'r gola'n dod mlaen, a phan dwi 'di gorffan mae'r gola'n mynd off, wch chi."

"Dow," medda'r doctor.

"Peidiwch â gwrando arno fo," meddai Bet. "Piso'n y ffrij mae o!"

Gwilym Price

Pedwar pensiynwr yn cael sgwrs yn y parc, a dyma un yn gofyn i Wil, "Faint yw dy oed di nawr, Wil?"

"Wel, dwi'n wyth deg pump," medda fo.

"Sut ma'r iechyd?" medda'r llall.

"Wel, go lew – torri gwynt, digon i gael bath yno fo, ond dyna fo, ar wahân i hynny dwi'n olreit," medda fo.

Nawr dyma holi Jac sut ma'i iechyd o.

"Wel, dwi'n wyth deg saith, dwi'n o lew," medda fo, "heblaw am y pen-glin – 'chydig bach o seiatica, ond fel arall dwi'n olreit."

Yna holi Wil sut oedd o.

"Dwi'n naw deg," medda fo, "a dwi reit dda ar wahân i'r clyw 'ma, ynde".

Nawr dyma droi at yr ola, Huw. "Sut ma'r iechyd?"

"Wel, go lew. Wedi dechre anghofio ydw i. Cyn i mi godi, dwi'n deffro a rhoi 'mraich am Jên 'cw, a deud 'Be am gael ychydig o howdidŵ cyn codi'. A dyma fi'n cael clustan. 'Am be oedd honna?' medda fi? 'Wel, newydd gael wyt ti!'"

Tudur Owen

Dwi wedi cael diwrnod ofnadwy, un o'r dyddia 'na pan 'dach chi'n deffro yn y bore i ddarganfod fod yna dwll yn eich gwely dŵr... a wedyn 'dach chi'n cofio, "Does gen i'm gwely dŵr!"

★ ★ ★

Fe rois i grys amdana i bore 'ma, ac fe ddaeth 'na fotwm i ffwrdd yn fy llaw. Wedyn, wrth i mi fynd allan a chloi'r drws ffrynt, fe dorodd y goriad yn fy llaw. Wrth i mi agor drws y car, fe ddaeth yr handlan i ffwrdd yn fy llaw... Mae gen i ormod o ofn mynd i'r toilet!

★ ★ ★

Mae gynnon ni hen gi defaid mawr, ac un diwrnod fe sylwais ei fod o'n gloff yn ei goes ôl. Es i â fo at y milfeddyg yn syth. Fe aeth y milfeddyg â fo drwadd i'r cefn, ac ymhen deng munud fe ddaeth y milfeddyg drwadd gan ddweud, "Mae'n rhaid i mi roi'r ci 'ma i lawr." Wel, fe allwch chi ddychmygu, roeddwn i'n ypset ofnadwy, ac fe gefais drafferth dal y dagra yn ôl wrth i mi ddweud, "O, na, plîs… pam mae'n rhaid i chi roi o i lawr?" Atebodd y milfeddyg, "Am ei fod o'n ofnadwy o drwm!"

Wrth gerdded ar draws y Maes yng Nghaernarfon fe sefais mewn toman fawr o faw ci… ych â fi! Yn syth wedyn fe ddaeth yna ddynes heibio a gwneud yn union yr un fath. "Dwi newydd neud hynna," medda fi… a dyma hi'n rhoi slap i mi!

Roedd panics yn tŷ ni pnawn 'ma. Mae gynnon ni botel fawr i gasglu pres mân ar gyfer achosion da. Wel, fe roedd fy mab bach sy'n dair oed wedi bod yn llyncu'r pres 'ma heb i neb weld… Mae ei fam wedi mynd â fo i'r ysbyty… mi ffoniais i gyna… a does 'na ddim newid!

Fe ffoniodd fy ngwraig i a gofyn os oedd gen i funud i gael sgwrs... "Wel na, mae arna i ofn; dwi'n brysur ofnadwy. Gawn ni siarad ar ôl i mi ddod adre." Ac wedyn fe gynigiodd hi, "Wel, mae gen i newyddion da a newyddion drwg dwi isio i ti glywed."

"Gwranda," meddwn i, "dwi'n ofnadwy o brysur a tydw i ddim isio clywed newyddion drwg ar hyn o bryd, felly deud wrtha i be 'di'r newyddion da yn sydyn."

"Iawn ta," medda'r wraig. "Mae'r air bags ar y car yn gweithio'n iawn."

★ ★ ★

Gwraig yn ffonio ei gŵr.
Gwraig: Helo, cariad. Mae 'na broblem fach efo'r car.
Gŵr: Sut fath o broblem?
Gwraig: Mae 'na ddŵr yn y carburettor.
Gŵr: Dŵr yn y carburettor? Ti'n siŵr?
Gwraig: Ydw, dwi'n hollol siŵr fod yna ddŵr yn y carburettor.
Gŵr: Ond cariad, ti'n gwybod dim am geir. Sut fedri di fod mor siŵr fod yna ddŵr yn y carburettor?
Gwraig: Mae'r car yn yr afon!

★ ★ ★

Roedd gan fy hen fodryb ddwy gath; un
fanw ac un wryw. Well, roedd hi'n meddwl
y byd o'r cathod 'ma. Ond un diwrnod fe fu
farw'r gath wryw, ac o fewn diwrnod, roedd
y llall wedi torri ei chalon ac wedi marw
hefyd. Wel, roedd fy modryb yn ypset iawn o
fod wedi colli'r ddwy gath. Fe benderfynodd
y byddai'n syniad neis cael y ddwy gath
wedi'u stwffio er mwyn eu cadw ar y ddresal.
Fe aeth â'r cathod at y *taxidermist* ac esbonio
wrtho fod y ddwy gath yn ffrindia mawr, a
gofyn a fyddai'n bosib iddo'u stwffio.
Gofynnodd y dyn os y byddai hi'n licio'u cael
nhw wedi eu mowntio. Fe wridodd fy
modryb a dweud, "O na, dim byd fel 'na...
ond ella basa nhw'n cael gafael yn nwylo'i
gilydd!"

★ ★ ★

Anti Ann yn mynd i'r Eidal ar wylia hefo'i
ffrindiau. Un dydd maen nhw'n mynd i
amgueddfa yn Rhufain. Ar y ffordd i mewn,
mae'n gweld cerflun mawr o'i blaen hi –
rhyw ddyn, un o'r duwiau Rhufeinig, efo
dim amdano ond deilen fawr rhwng ei goesa.

Mae Anti Ann yn sefyll o flaen y cerflun yn edrych arno am awr.

Ei ffrindiau yn gweiddi arni, "Duw, Ann, tyrd 'laen. Am be' ti'n aros – y Dolig?"

"Naci, yr hydref!"

★ ★ ★

Mae geiriau od i gael yn yr iaith Gymraeg. Un o'r rhain yw 'jogio' neu 'loncian'. Dwi'n cofio y tro cynta i mi glywed y gair hyn. Rhyw hen ddyn yn deud wrtha i, "Dwi wedi dechra loncian rŵan."

"O… reit."

"O, ia. Dwi'n loncian bob bore rŵan, ac yn y prynhawn os ydw i heb flino gormod."

"O… iawn."

"Fasa ti'n licio loncian efo fi?"

"Ti isio slap?" meddwn i!

★ ★ ★

Dwi'n loncian bob bore fel arfer, ar hyd lôn sy'n mynd heibio cwrt tenis. Un bore wrth redeg heibio, gwelais ddwy bêl tenis ar y llawr. Doedd neb yn chwarae tenis, felly penderfynais fynd â nhw adre. Ond y broblem oedd, doedd gen i unman i'w rhoi nhw. Felly fe stwffiais i nhw lawr ffrynt fy shorts a chario mlaen i loncian.

Yn bellach ar hyd y lôn, roedd hen ddynas yn mynd â'i chi am dro. Stopiodd mewn sioc, gan edrych mewn syndod nôl a mlaen o fy wyneb i fy shorts!

"Peidiwch â phoeni," dwedais. "Peli tennis," gan bwyntio atyn nhw.

"Be?" gofynnodd, mewn sioc.

"Tennis bôls," atebais.

"O! Peth cas – ges i tennis elbow o'r blaen!"

★ ★ ★

Dau ddyn cownsil yn stopio i gael cinio. Y cynta yn agor ei frechdanau.

"Spam, blydi Spam! Mi daga i 'ngwraig pan a i adra. Spam bob blydi dydd. Dwi 'di cael llond bol o Spam."

Mae'r ail foi yn edrych ar ei becyn brechdanau a deud, "Wy, blydi wy! Dwi'n cael blydi wy bob dydd a dwi 'di cael llond bol!"

Y dyn cynta yn deud, "Sut gwyddost ti mai rhai wy ydyn nhw? Ti ddim wedi'u hagor nhw eto."

"Wel, fi fy hun na'th nhw bore 'ma!"

Peter Hughes Griffiths

Barbwr yn Aberystwyth â gwraig smart iawn.
Boi yn cerdded mewn i'r siop barbwr un
bore a gofyn, "Faint sy o mlaen i?"

"Ym, wyth," meddai'r barbwr gan
gownto'r pennau'n gyflym.

"Iawn, ddo i nôl bore fory," meddai'r boi.

Bore trannoeth, y boi yn cerdded mewn.
"Faint sy o mlaen i?"

"Chwech," atebodd y barbwr.

"Iawn, ddo i nôl bore fory."

Bore wedyn, yr un peth yn digwydd eto.
"Faint sy o mlaen i?"

"Naw heddiw."

"Iawn, ddo i nôl bore fory."

A digwyddodd hyn am wythnos gyfan. Ar
ddiwedd yr wythnos, mae'n dweud wrth
fachgen ar brofiad gwaith, "Mae rhywbeth od
am y boi 'na. Dilyna fe i weld ble mae'n
mynd."

Felly dyma'r bachgen yn ei ddilyn.

"Ie, i ble aeth e?"

"I'ch tŷ chi!"

★ ★ ★

Fe aeth yr esgob i swper at hen ficer allan yng
nghefn gwlad Ceredigion. Roedd yr hen ficer
bach yn byw ar ei ben ei hun mewn clamp o
ficerdy mawr, ac fe eisteddodd y ddau i lawr
wrth y bwrdd yn barod i gael y wledd.

Ni allai'r esgob lai na sylwi ar y forwyn
ifanc ddeniadol – â'i sgert ymhell uwch ei
phen-glin – oedd yn paratoi a gweini'r bwyd.

"Y forwyn yw hi?"

"Ie," meddai'r ficer. "Mae hi'n byw yma
yn y ficerdy ac yn glanhau ac yn gwneud
bwyd i mi."

Edrychodd yr esgob yn syn arno, ac fe
sylweddolodd y ficer beth oedd yn mynd
trwy feddwl yr esgob.

"O, na!" meddai'r ficer. "Na, na, na! Mae
popeth yn iawn. Does dim isie i chi amau
dim. Mae ganddi hi ei hystafell ei hun yn yr
hen ficerdy mawr 'ma."

Ddiwrnod neu ddau yn ddiweddarach,
dyma'r forwyn ddeniadol yn dweud wrth y
ficer bod y gyllell, y fforc, a'r llwy a
ddefnyddiodd yr esgob yn ystod y swper yn y
ficerdy wedi diflannu, a'i bod hi'n amau fod
yr esgob wedi eu dwyn.

"Reit," meddai'r ficer. "Fe anfona i air ato." A dyma fynd ati i ysgrifennu llythyr at yr esgob gan ddweud:

"Nawr, nid ydym yn dweud eich bod wedi dwyn y gyllell a'r fforc a'r llwy, ac nid ydym yn dweud nad ydych wedi dwyn y gyllell a'r fforc a'r llwy. Ond mae'r gyllell a'r fforc a'r llwy wedi diflannu ers pan fuoch chi'n cael swper yma y noson o'r blaen."

Daeth llythyr yn ôl wrth yr esgob gyda'r troad yn dweud:

"Nid wyf yn dweud eich bod yn cysgu gyda'r forwyn, ac nid wyf yn dweud nad ydych yn cysgu gyda'r forwyn. Ond pe baech yn cysgu yn eich gwely eich hunan, yna fe fyddech wedi ffeindio'r gyllell a'r fforc a'r llwy erbyn hyn!"

★ ★ ★

Tri ffrind yn cwrdd bob nos Sadwrn mewn gwesty yng Nghaerfyrddin ac yn digwydd bod ar y nos Sadwrn hon, roedd digwyddiad mawr yno i godi arian, ac fe brynodd y bechgyn bob o docyn raffl, ac yn rhyfedd iawn fe enillodd pob un wobr pan dynnwyd y raffl. Enillodd y cyntaf ddeg potel o siampên, enillodd yr ail lwmp mawr o gig, ac fe enillodd Dai wedyn frwsh tŷ bach.

A'r nos Sadwrn nesaf, dyma'r tri'n cwrdd eto.

"Shwt a'th hi, bois?" medde un.

"Ardderchog!" medde'r cyntaf. "Potel o siampên bob nos gyda'n bwyd. Bendigedig!"

"A finne," medde'r ail. "Lwmp o gig ardderchog i ginio dydd Sul a digon ar ôl ar gyfer cinio trwy'r wythnos. Bendigedig!"

"A beth amdanot ti a'r brwsh toilet, Dai?"

"Wel, weda i wrtho chi, bois, ry' ni wedi penderfynu mynd yn ôl at ddefnyddio papur 'to wythnos nesa!"

★ ★ ★

Yr hen wraig 'ma'n mynd ar y Traws Cambria yng Nghaerfyrddin ac yn eistedd yn y set reit tu ôl i'r gyrrwr. Ar ôl rhyw bum munud dyma hi'n pwtio'r gyrrwr yn ei gefn. "Esgusodwch fi," medde hi. "A wnewch chi ddweud wrtha i pan fyddwn ni yn Aberystwyth?"

"Dim problem," meddai'r gyrrwr.

Ar ôl rhyw bum munud arall, medde hi eto, "Cofiwch weud wrtha i pan fyddwn ni yn Aberystwyth."

"Popeth yn iawn," medde'r gyrrwr gan godi ychydig ar ei lais.

A dyna sut y buodd hi ar hyd y daith – y wraig fach yn poeni'r gyrrwr yn ddi-stop… "Cofiwch ddweud wrtha i pan ry'n ni yn Aberystwyth," nes bod y gyrrwr wedi mynd yn ddwl.

Pan gyrhaeddwyd Aberystwyth, dyma'r gyrrwr yn codi o'i set a throi at yr hen fenyw fach a gweiddi arni, a hwnnw'n goch yn ei natur.

"Mas â chi, mas â chi, achos ry'n ni wedi cyrraedd Aberystwyth!"

"O, na, sa i isie mynd mas," medde'r wraig.

"Dim isie mynd mas?" Bloeddiodd y gyrrwr dros y lle.

"Na," medde hi. "Y ferch wedodd wrtha i am gymryd y pils 'ma yn Aberystwyth, achos wy'n mynd i Fangor!"

★ ★ ★

Gan fod pawb yn cael mynd i mewn i
arddangosfeydd am ddim ar hyn o bryd,
dyma'r hen wraig yn mynd i weld
arddangosfa arlunio modern gan yr artist Iwan
Dolgellau. Ac yno, yn sefyll wrth ymyl un o'r
lluniau, roedd Iwan Dolgellau.

"Esgusodwch fi," meddai'r hen wraig wrth
Iwan Dolgellau. "Chi wnaeth y darlun hwn?"

"Ie," meddai Iwan, gan wenu fel giât.

"Ond esgusodwch fi," meddai hithau eto,
"ond does dim byd o fewn y ffram. Llun o
beth yw e?"

"O," meddai Iwan, "llun o fuwch yn pori mewn cae."

"Ond ble mae'r borfa?" gofynnodd hithau.

"Mae'r fuwch wedi ei fwyta fe i gyd," atebodd Iwan.

"Ond ble mae'r fuwch, 'te?" meddai hithau eto.

"Yn y cae nesa," atebodd Iwan. "Fydd dim un buwch mor dwp ag aros yn y cae os yw hi wedi bwyta'r borfa i gyd!"

★ ★ ★

Dai a Mair yn y gwely, ac mae Dai yn trïo cysgu. Mair yn dweud, "Ti'n cofio pan o'n ni'n caru, o't ti'n arfer dal fy llaw?" Gyda hyn, dyma Dai yn troi rownd, dal ei llaw am funud, ac yna'n troi rownd i gysgu eto.

Munud wedyn, Mair yn dweud, "Ti'n cofio pan o'n ni'n caru, o't ti'n arfer fy nghusanu." Unwaith eto, mae Dai yn troi rownd, rhoi cusan fawr iddi ac yna troi nôl rownd i gysgu eto.

Pum munud wedyn, mae Mair yn dweud, "Ti'n cofio pan o'n ni'n caru, o't ti'n arfer cnoi fy ngwddf."

"Aros funud," meddai Dai gan neidio allan o'r gwely.

"Ble ti'n mynd?" gofynnodd Mair.

"I'r bathrwm i nôl fy nannedd!"

Roedd Wil Williams ar ei wely angau ac yn cysgu'n drwm y rhan fwyaf o'r amser, ond yn agos i'r diwedd wrth ddihuno'n sydyn, fe gas e sioc o weld ei gymdogion o'r ffermydd cyfagos i gyd rownd ei wely.

"Beth maen nhw'n neud 'ma?" sibrydodd wrth ei wraig.

"Maen nhw wedi dod i weud hwyl fawr," atebodd hithe.

"O?" medde Wil. "Ble maen nhw'n mynd, 'te?"

Mwy o Jôcs

Cwsmer yn setlo lawr wrth y bar yn y Llew Gwyn.

"Chwerw?" medde'r barman.

"Na," medde'r cwsmer. "Jest yn drist iawn, iawn."

★ ★ ★

Rob a'i gyfeillion ym maes awyr Lerpwl. Roedd Rob yn edrych yn bryderus iawn, a dyma un o'i ffrindie yn gofyn iddo os oedd popeth yn iawn.

"Wel, wy'n difaru na fasen i wedi dod â'r piano 'da fi," medde Rob.

"Iesu! I beth ddiawl wyt ti moyn y piano nawr?"

"Achos ar ben y piano y gadawes i 'mhasport."

★ ★ ★

Roedd y broga yn unig ac yn isel ei ysbryd felly fe ffoniodd rif ffôn Seicic Sulwen a gofyn iddi sut ddyfodol oedd yn ei wynebu.

"Rydych chi'n mynd i gwrdd â merch ifanc hardd a bydd hi isie gwybod popeth amdanoch chi," meddai Seicic Sulwen.

"Fydda i'n cwrdd â hi mewn parti?" holodd y broga.

"Na," meddai Seicic Sulwen, "mewn labordy bioleg."

★ ★ ★

Un dydd wrth i ddeifiwr blymio 20 troedfedd i lawr o dan wyneb y môr gwelodd ddyn ar yr un lefel â fo heb offer deifio o fath yn y byd. Plymiodd y deifiwr 10 troedfedd yn is, ond roedd y dyn wrth ei ochr yn fuan wedyn. Aeth y deifiwr 15 troedfedd arall yn is, ond ymhen munud ymunodd y dyn heb offer deifio â fo eto. Roedd y deifiwr wedi drysu. Estynnodd ei bapur a phensil gwrth-ddŵr a sgwennu:

"Anhygoel! Sut rwyt ti'n gallu aros mewn môr mor ddwfn heb offer deifio?" Gafaelodd y dyn yn y papur a phensil, chwalu geiriau'r deifiwr a sgwennu, "Dwi'n boddi, y ffŵl!"

★ ★ ★

Glywsoch chi am y dyn â phum pidlen?
Roedd ei bants yn ffitio fel maneg!

★ ★ ★

"Mae'r wraig yn gweud bod fi'n fenywaidd,
Glyn. Wyt ti'n meddwl bod fi?" medde Wyn
wrth ei ffrind.

"Wel," medde Glyn, "wyt – o gymharu â
hi."